제1화

인류가 그 '보금자리'를
우주로 옮긴지
이미 반 세기

지구거주자의 우주이민자에
대한 압제가 발단이 된 이 전쟁이

고작 1개월 남짓에
전 인류의 반을 죽음으로
몰아 넣게 되리라고는
그 누구도 예상치
않은 것이었다

훗날 말하는
'일년전쟁'이다

CONTENTS

제1화 「태동하는 폭풍」

MOBILE SUIT
GUNDAM
0083
REBELLION

나츠모토 마사토(夏元雅人)

원작 야다테 하지메(矢立肇)

토미노 요시유키(富野由悠季)

협력 선라이즈

콘셉트 어드바이저 이마니시 타카시(今西隆志)

크…

도즐 사령관께서 전사하셨다는 말은 정말인가…?!

사령관께선…

연방의… 하얀 놈한테… 당하셨다

케리!!

5

지켜드리지 ―…

못 ―…

했다…

도즐… 사령관께서 ―…

카리우스!!

케리 레즈너 대위를 맡기겠다!!

대장님은?!

예!!

나는……

퇴로를 연다!!

간다아아아아앗!!

MS 기동부대를 다수 섬멸—…

그 전투의 기록으로

'솔로몬의 악몽'

이라는 이명이 붙게 되었다

우주세기 0082.12.31
네덜란드 '나이메헨'
지구 연방군 사관학교

전함 8척이라니 말이 되기나 해?

'솔로몬의 악몽' 이라니

죽이는데

아—… 조용히들!!

……

저—

뭔가? 코우 우라키 중사

NO IMAGE

ANAVEL GATO

아나벨 가토—…

솔로몬의 악몽—…

이 당시의 전투 기록 데이터 수치를 계산하면

이는 결국 MS는 파일럿의 적정 능력이

기동 성능에 크게 작용한다는 뜻이 됩니까?

이 MS-09RS은 통상의 배 이상으로 기동 수치가 나오고 있었다는 것이 됩니다만

MS와 파일럿의 상관 관계에 대해서는 특기 수업할 때 질문하도록

쓸데없이 수업이 길어지잖아

야, 코우!!

또냐……

이제
그만
하라고

그치만
키스!!
이건…

하지만
특정 파일럿이
전황에 끼치는
영향을
고려하면…

야,
코우!

아아

14

현대
전쟁사 수업은
여기까지!!!

앗

코우
넌 진짜
말이지

MS
이야기만 나오면
아주 집요해져

이제야 지구도 부흥의 조짐을 실감할 수 있는 수준까지 오게 된 겁니다

그 처참함이 극에 달했던 지온 공국과의 전쟁이 종결된 지 2년여 세월을 지나

로스트 치킨 샌드

당근 토핑은 빼 주고요

빼 달라고
했는데…

어머
사관학교의
ㅡ

저 사람들
군인이지?

으엑
너무하네…

아아
…

KOU URAKI

아
진짜…

여전하네

코우

17

앗!!

야, 코우!!

얘네들!! 우리한테 흥미가 있다는데

응?

아아 그래?

그런 것보다 여기 말인데!!

18

저기…

이걸 실기의 데이터와 비교하면 파일럿의 능력이

MS의 기동 성능에 끼치는 영향을 증명할 수 있겠어

자쿠의 구동 시퀀스 데이터 수치를 평균화해 봤는데

재…

재밌냐?

코우 군ㅡ…

벌써 시간이 이렇게!!

가자, 키스!!

뭐어?!

앗

19

난 MS에
탈 수만 있으면
아무래도
좋았지만 말이지

군에
입대하니깐
전쟁이 끝나고
말이지

우린
운이 좋아

MS를
타기 위한
지름길이

사관학교라는
점이
코우 너답다

KEEP OUT

KEEP OUT

배터리로는
안 되려나…

콘솔
시스템만이라도
움직여주면
좋겠는데

키스!!
바이크에서
전원 끌어다
공급해 보자!!

네에,
네에

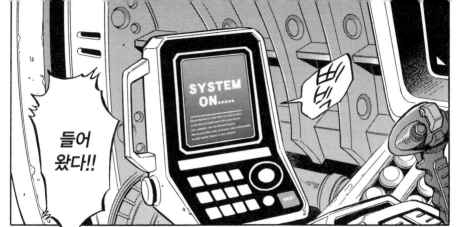

들어
왔다!!

응…

하아

이미 듣지도
않고 있군…

빨리 끝내고
놀러 가재!!

어때,
코우?

데이터를
백업할 수
있겠어

월면 '폰 브라운' 시티

AE아나하임 일렉트로닉스 본사 빌딩

염려하실 것까지는 아닙니다

납기는 예정대로 맞출 수 있죠

이번 개발 계획은 말하자면 일반적인 프로토타입이 아닙니다

코웬 중장님—

진행 상황 보고는 받고 있네

그렇지만 개발비 추가 예산 요청이라니 어찌된 일인가, 오설리번 상무!!

시제 실험기 개발이라는 점을 이해해주십사 합니다

이래저래 개발에는 비용이 들기 마련이죠

GUNDAM GP01
ZEPHYRANTHES

게다가 그것이 '건담'이라면…

개발 팀의 노고도 헤아려 주십시오

중장님께서 계획 자체를 은밀히 진행시키고자 하시는 것도

저희 쪽도 중장님의 입장은 이해하고 있습니다

음…

추가 예산에 관해서는 고려해 보지

하지만…

이 '건담 개발 계획'의 결과가

연방군 내부에서 당신의 입지를 반석으로 다져줄 것이기 때문이겠죠

그건 자네도 마찬가지겠지

예에… 서로를 위해서라도

말이죠

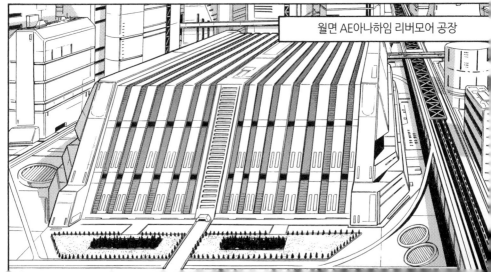

월면 AE아나하임 리버모어 공장

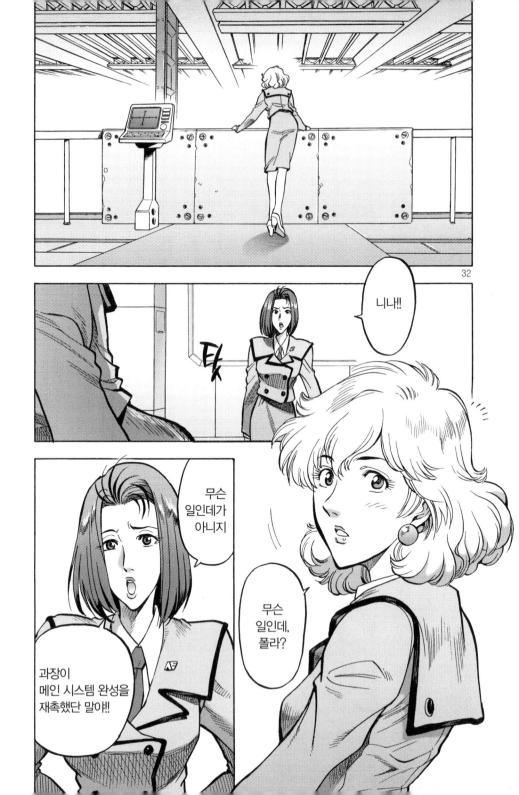

니나!!

무슨 일인데가 아니지

무슨 일인데, 폴라?

과장이 메인 시스템 완성을 재촉했단 말이야!!

확실히
장인들 옹고집이
느껴지긴 하지만

당연
하잖아!!

뭐, 그렇지!!
시제기라고
해도

틀림없이
여태까지의
MS 역사를
바꿔 쓸
기체가 될 거야

만듦새는
대단하다고
할 수 있어

1호기도 2호기도
최고의 MS라고!!

빨리
이 두 기체가
우주를 누비는
모습을
보고 싶어

분명
근사하고
멋질 거야

그건 당연하지!!

내 건담엔 태우지 않을 거야!!

최고 포텐셜을 이끌어내 줄 파일럿이 아니면

파일럿이 누구인지…도 중요한 포인트지

'내 건담' 이라니

아직이냐, 코우!!

이제 조금만…

날 추워졌어

음?

어디서
탄내 안 나?

앗?!

백업
끝!!

됐다!!

이쪽도
끝인 것 같다

얼래?

키스?

36

저 자쿠의 파일럿은
숙련된
에이스였을 거야

역시 MS는
파일럿에 따라
포텐셜이
바뀐다는 거야

아무래도
좋거든!!
그딴 건

허어

대단
하다고,
키스

께익

후욱

슬슬
교대하자,
코우!!

학학

께익

쿡쿡

풉

진짜 대단한
놈이야

너란
놈은—....

'알비온'은
어떤가,
시냅스
함장

AE가 건조한
첫 함정이야.
취급에
익숙하지 않은
부분도
있겠지만

귀관이라면
괜찮을
것이다

아직 관숙 항행
중이지만
좋은 함이란 건
알겠습니다

시제 MS… 입니까

테스트 트라이얼 함으로 임무에 취역하게 된다

알비온은 관숙 항행 후에 AE에서 시제 MS를 수령해서

……

상세한 내용은 추후 전하겠다

그때까지는 알비온에 충분히 익숙해지도록

알겠습니다

신형함에 신형 MS입니까?

게다가 양쪽 다 AE제라니…

후우…

좋잖아!!
관숙 항행 중인
알비온엔
아직 탑재 MS가
하나도 없으니

빨리 MS를
수령하고
싶네

이제부터는
뭐든 다
AE제 병기!!

그런 시대가
온 건가요

꾸욱

누가
처들어오냐?

어이, 어이.
전쟁도
끝났는데

함교 내에선
사담을
삼가해

테스트
함이라…

번
쩍

함영 둘!!
한 척은
'살라미스급'
같은데…

다른 한 척은
조회
안 됩니다!!

미노프스키
농도가
높아서
식별 불가!!

우린 물자도
탄약도
마음 놓을 수
없는 상황이다

어쩌고
자시고 할 때가
아니지

민간 화물선을
살라미스가
호위하고 있는 것
아니겠습니까?

어쩌시렵
니까?

철컹!

'마리네
라이터'
나간다!!

시마 님,
월척을!!

당연하지!!

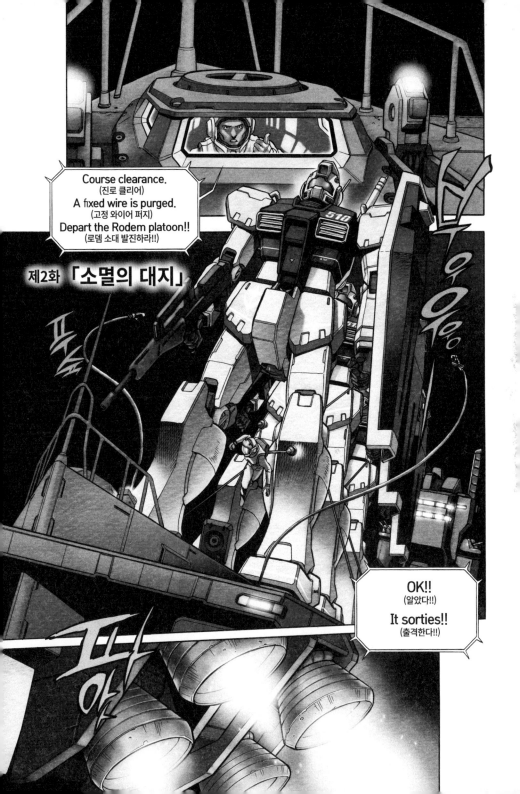

연결해!!

살라미스급 '포트빌'에서 통신입니다

알비온은 최대 전투 속도로 이 공역에서 이탈하십시오

시냅스 함장님!! 적은 본함이 붙잡아 놓겠습니다

음...

─... 알았소

코웬 중장님을 뵐 낯이 없습니다!!

게다가 갓 취역한 신조함에 상처를 입히게 되면

관숙 항행 중인 귀함에는 탑재 MS조차 없는 상황 아닙니까

하지만…!!

귀함 또한―…!!

좋은 항해를!! 시냅스 함장님

파사로프 대위, 좌현타 20이다!!

알비온은 최대 전투 속도로 현 공역을―…

큰 거 한 방만…

포술장 아리스타이드 휴즈 대위입니다

주포 한 방 먹일 기회를 주십시오!!

기다려 주십시오!! 함장님!!

음?

미확인 1척은
화물선이
아니었나?!

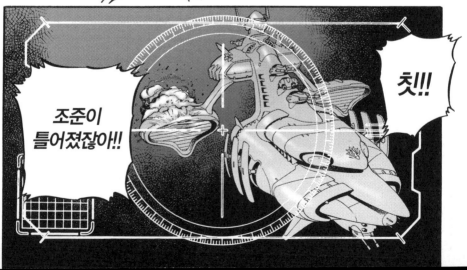

조준이
틀어졌잖아!!

칫!!

보면 안다고!!

적함 대미지 경미함!!

거리가 너무 멀어서 메가입자가 확산되고 있습니다

현 공역을 이탈한다!!

알비온!! 최대 전투 속도!!

테스트
파일럿을
지원한 이유?

진짜...

코우 넌
MS를 죽어라
좋아하는구나

MS의 특성을
더욱 잘
이해하기 위해
최적이니깐

키스 너도
테스트 파일럿
지원했잖아

속 편한
놈일세

그거야
너랑 함께 있으면
심심할 일
없어서 좋거든

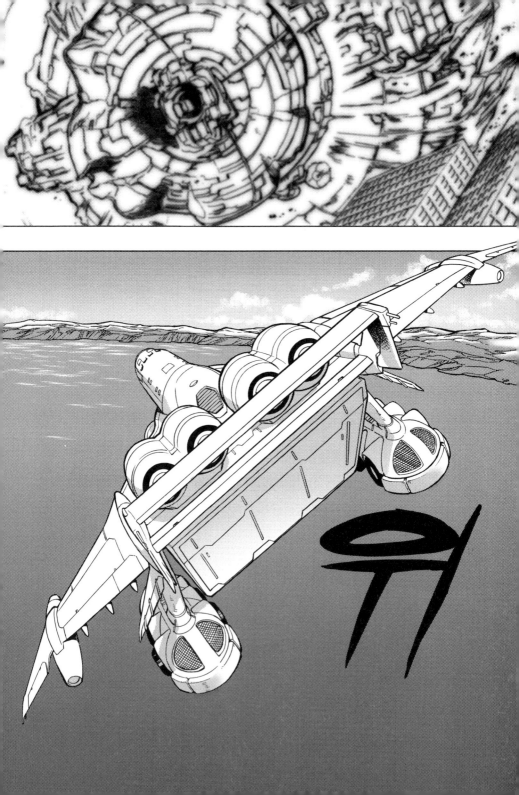

음?

월면 AE사
리버모어 공장

저기요?

누구신가요?

무슨 용무시죠?

앗 저기…

과장님께 보고서를 제출하라는 말을 들어서 왔는데…

데스크를 착각한 것 같습니다

여기 막 입사한지 얼마 안 돼서…

그리고
보니—…

다음에
또 뵙겠습니다

분명
엔지니어인
—…

……

오빌

닉 오빌입니다

뭐야,
무슨 일
있었던
거야?

믿기지 않습니다만...

틀림없이 MS-06이었습니다. 튜닝된 놈입니다!!

그건 그렇고 적기 확인은 됐어? 아델!!

닥쳐, 몬시아

이딴 임무는 거부하는 게 좋았다고, 베이트!!

조금만 더 있으면 휴가였는데 말야

빠직

그런 구식이... 게다가 단 한 놈한테 우리 '불사신 4소대'가

놀아났단 말이야―...?!

위험해!! 산개하라고

MOBILE SUIT
GUNDAM
0083
REBELLION

MOBILE SUIT GUNDAM 0083 REBELLION

일찍이 사이드 5로 불리던
콜로니 무리의 잔해만이
무수히 부유하는 암초 공역

찾았다!! 놈입니다!!

역시나 단기입니다!!

그런 구식으로 이 짐 커스텀 3기를상대하고 있다는 건가?!

진짜로 MS-06 이라고?!

어중간한 수로는 위험합니다!!

브아보 자식!! 자쿠 단 한 마리에 뭘 쫄아 있는 거야!!

아델!! 오른쪽으로 돌아서 협공이다!!

베이트는 발신원 확인이나 하고 있으라고!!

흥

알고 있는 거냐?!

몬시아!!

우린 구조 신호 요청으로 여기 온 거야!!

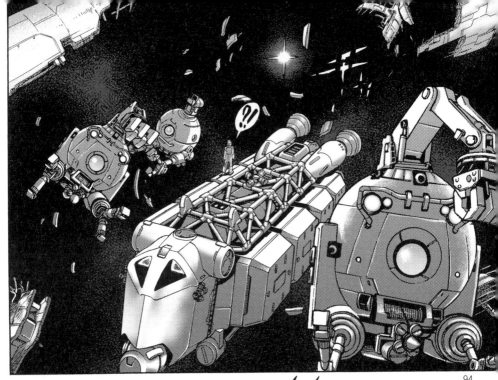

어째
이런 곳에서?!

전투인가
—…?!

아무리
고기동 튜닝된
자쿠라곤 해도

바주카만 없으면
결국은 구식 MS야!!

98

103

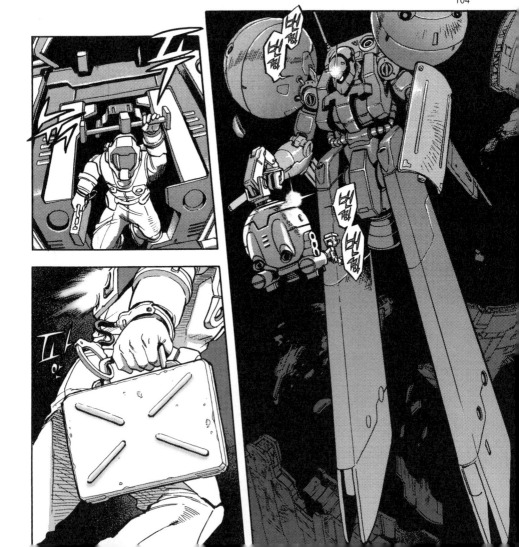

쫓을까
ㅡ…?

그런데
엄청난
가속이다!!

설마!!
그런 일은
있을 수
없을 텐데

응?

식별할 수
없는
MS 반응?!

지온의
신형 MS인가?

아냐…
그런데

물러나!!
몬시아!!

3기째인가
─…

어이
철수한다!!

아직
싸울 수
있다고!!

구식 자쿠
한 놈을
상대로
도망치자는
거야?!

아야?!

구조 신호를 보낸 부대는 이미 당했다는 것을 확인했다!!

임무는 종료다!!

알겠 습니다

빨리 도망 치자고!!

젠장 알았어!!

음!!

어떤 전황에서도 살아 남는다 ―…

잘 했어, 이 정도면!!

그게 '불사신 4소대'라 불리는 이유지

이렇게 살아남은 것이 기적입니다

그렇지만 아까 그 파일럿은 무서운 놈이었습니다

헛소리 마!! 그냥 게릴라라고!!

혼자서 덤벼든 것이 그 증거란 말이지

하지만 아까 그 놈이 게릴라로는 보이지 않는단 말이야

군인의 프라이드를 오싹오싹하게 느꼈다고

아니… 그 당당한 위압감……

죽은 기렌 자비에 대한
충성심이 드높던
에규 델라즈는
그의 유지를 잇고자

연방에 대한 항전을 계속하길
원하는 자들을 이끌며
저항 부대를 세웠다

그것이
지구권 최대
잔당 세력인

'델라즈 플리트'

역시 대단하십니다, 가토 소령님

이건가—…

무슨 문제라도?

가톨 폭격기를 되는대로 짜맞춘 기체입니다

상반신은 MS-06F2에 스러스터는

독자 생산 이라고는 해도

드디어 이 장미 정원의 공장 플랜트에서도 독자적으로 MS 생산을 할 수 있게 되었군

MS-21C 'DRA-C' 드라체

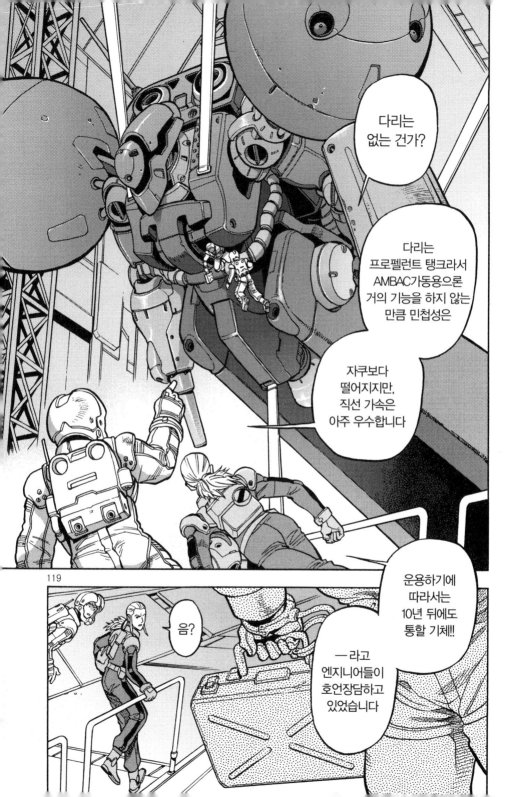

아아,

달 AE에 잠입한 스파이가 보내 준 정보 같습니다

저건?

……

델라즈 각하께 직접 건네드리려 왔다고 하는 걸 보니

꽤나 중요한 내용 같습니다

델라즈 각하를 신뢰해라!!

저─…… 소령님…

저희는 언제까지

여기서 몸을 숨기고 있어야 하는 겁니까?

120

네놈들 파일럿 기장은 장식인가?!

왜 한 발도 못 맞추나!!

어찌 된 거냐, 우라키 소위!!

배액!!

아흔 여더업 …

아흔 아호옵 …

저 …

말씀 드릴 것이 있습니다. 버닝 대위님

학 학 학

아닙 니다!!

파일럿 입니다!!

뭔가?! 키스 소위

라이플도 백팩 제너레이터도 MS-05L사양인 놈입니다

MS-06의 모노아이로는 명중도가 떨어지는 것은

어쩔 수 없지 않겠습니까

그 때문에 관측수인 네 녀석이 계산해서

지시를 내렸을 텐데!!

우라키 소위!! 이 테스트 훈련의 개요는 뭔가?!

파일럿이 대행할 필요가 있습니까?

컴퓨터가 할 계산을

그치만—…

사격 정밀도 향상을 위한 테스트입니다!!

측위 기능의 손괴 및 환경에 의해 측량 불능에 빠진 경우의

알고 있으면서 왜 못 하나!!

다음엔 맞추겠 습니다!!

결과로 증명해 보여라!!

ㅋㅎㅎ ㅋㅎㅎ

냅다
신인 얼차려
중이십니까?
버닝 대위님

쓸 데 없는
소리는
됐고!!

빨랑
보고하러
내려왓!!

음!!
알았다

기록
데이터는
해석반으로
보내고!!

100시간 행군
내구 테스트를
종료했습니다

앨런,
커크스
2명!!

126

코우 우라키
소위입니다

채크 키스
소위입니다

그리고
이 녀석들은
팀의
신입들이다

100시간…
행군입니까
—…

라반
같은 소위지만 커크스다!!
내가 고참이야.
경의를 표해줘

딕 앨런 중위다.
잘 부탁한다,
신참!!

나흘 동안
콕피트에서
흔들려서

엉덩이
피부가
문드러졌지!!

별~거~
아니거든

모의전 형식
테스트 훈련도
베리에이션을
늘릴 수 있겠어

이걸로
토링턴 기지의
테스트
파일럿은

대장인
나를 포함해
5명이 되면서
충실해졌다

MS전의
기본을 가르쳐
주지!!

의욕이
한가득하군.
신참!!

그래!!
실전 형식의
데이터 수집이
중요하니 말이지

모의전
말입니까!!

예!!

저도 지지
않겠습니다

선배로서
의지를
보여주지
않으면 폼이
안 나겠는데

여어!!
커크스

죄송
합니다…

하하
핫…

헷!!
이 자식
봐라ㅡ…

델라즈 플리트
기함 '그와덴'

이것은
—…

이것이야말로
——…

천재일우의
요행——…

……

GP02:

보였도다——…

지온의
대의를 걸고
나아가야
할 길이
보였습니다!!

기렌
총수님
——…

이 에규
델라즈!!

MOBILE SUIT

GUNDAM
0083
REBELLION

MOBILE SUIT
GUNDAM
0083
REBELLION

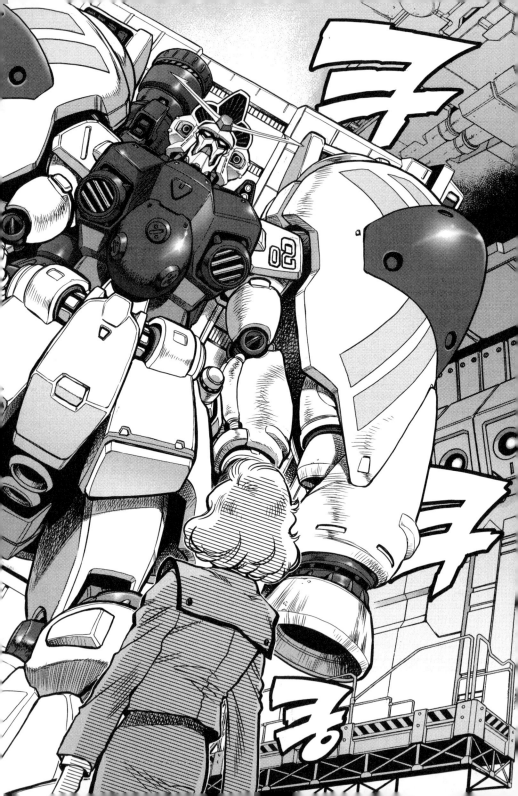

꽤나
한 성격
하게
생겼네

조금
무섭게
보여

그렇네...

폴라

넌 시제 1호기가
더 마음에 들지

그렇지
않아!!

그...

어느 쪽이건 차별 없이 애착을 갖고 있다고

둘 다 설계 단계부터 관여하고 있단 말이야!!

…

다만…

그래, 그래

실제로 마주 보면…

압도당할 뿐이야

설마하니 연방이 이와 같은 MS를 개발하고 있으리라곤…

음!!

그야말로 기만으로 가득한 연방을 상징하는 MS라 해야겠지

전술핵을 탑재한 MS――…

남극 조약을 무시한 기체――…

이 기체의 존재를 알고 깨닫게 되었다

우리 지온의 중흥을 보여주기 위한 대의를 말이지!!

델라즈 각하…

가토여!! 기억하고 있는가?!

기렌 총수께서 돌아가신 아 바오아 쿠 전투를!!

물론 입니다!!

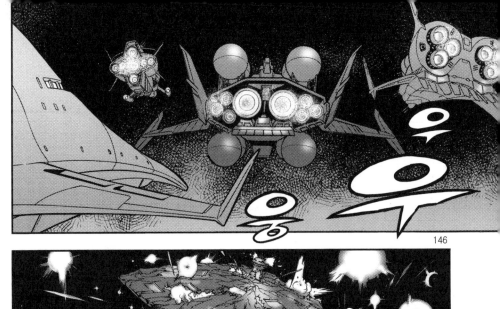

아 바오아 쿠
철수 작전 이후

우린 선택을
강요받았다···

무르다!!
연방의 힘을
냉정히 판단할 수
없을 치라면

하기 전부터
결과는
뻔히 다 보이오

델라즈
─...

우리 함대는
액시즈로
물러날 생각일세

허슬러
...

지금은
마하라자 칸
휘하로
규합해야 할 때
아닌가?

겁쟁이
들이나 할
생각이다!!

각해!!

기체를 빌리겠습니다!!

일탈 이라고?!

우린 최면가스라고만 듣고 콜로니에다 그것을…

그것이 G3가스였다는 건 일언반구도 듣지 못했단 말이다!!

이처럼
중요한 때에
제정신인가?!

아나벨 가토
대위입니다!!

중령님께선
군인으로서 절도를
지켜주셨으면 합니다

뭐야,
네놈은?!

가토?

흐응 소문은 듣고 있었지

순수한 군인인 척 하는 역겨운 놈이 있다고 말이지

라이플을 갖고 오지 않은 것이 정답이었군요

지금이라면 되물리는 것도 가능합니다

얕보지 마라… 대위

가토!!
우린 네 등
뒤에 있는
놈들한테…

아주
꼴사납게
보일 테지!!

턱으로
지시만 내리는
쓰레기 같은
상관 놈들에게
이용당한 끝에
이 꼬라지다

그것이
군인
아닌가!!

상관이라고는 해도
감히 이 말은
해야겠소…

우리의
특수
임무는―…

저는
군인입니다 하며
가슴 펴고
말할 만한
깨끗한 것이
아니었단 말이다…

델라즈 각하는 사려 깊으신 분이다

추잡한 말짓거리는 집어쳐!!

이 목숨은 각하께 맡겼다

이제 이런 함대 따윈 알 바 아닙니다!!

아니… 체포되어도 상관 없다고!!

코셀?!

시마 님ㅡ…

돌아갑시다. 우리들의 고향 마할로!!

각 함에 신호!! 단종진을 짜서 이탈한다!!

제2 전투 속도 ─…

흥!! 지온의 수치인 것들!!

어이!! 시마 함대가 이탈하고 있잖아!!

델라즈!! 같이 가지 않겠나? 액시즈로!!

……

대체 뭘 생각하고 있는 건가?

별가루…

작전!!

작전명은
'별가루'로
정한다!!

우우

폰 브라운
항만
관리국에서
입전

알비온은
제1 블록 우주항으로
입항 허가가
났습니다

우웅

1호기도 무사히
시간 맞춰서
롤아웃한 것 같네

루세트

그보다
니나!!

네가 직접
군함에 탄다고
하던데 진짜야?

덕분에!!

연방군한테
인도하는 것도
이게 끝이야

정말이야!! 둘 다 완성했다고는 해도

실용면의 운용 데이터를 모아서 조정하지 않으면 완벽하다고는 할 수 없잖아!!

그래도 그렇지!!! 일부러 네가 가지 않아도…

가족하곤 상담한 거야?

나도 설득은 했는데도

말이라고 해!!

군함에 승선한다는 걸 부모님이 알면 졸도하실 거야

여기다 내버려둘 수는 없잖아

이 두 기체는 설계부터 담당한 녀석들이야

170

무슨 뜻이야?! 난…

떼 쓰는 꼬마아가씨네

……

아주 그냥 장난감 인형을 놓고 싶지 않아서

네가 건담 개발 프로젝트에 지나치게 몰두하고 있는 것이 걱정이란 말야!!

3년 전 일을 잊으려고 무리하고 있는 거 아냐?

쓸데없는 참견일지도 모르지만 너……

바보 같은 소리 마!!

둘 다 왜 그래?

니나

니나

덜컹

덜컹

172

거기서 건담의 중력하 테스트부터 시작해야지

오스트레일리아 대륙에… 분명 토링턴 기지야

너 지구는 처음이지 어디로 가는 거야?

그래.

난 이제부터 라비앙로즈의 독 작업을 하러 가게 될 것 같아

앗. 기다려, 루세트!!

서로 열심히 하자

아까 일이라면 잊어!!

내가 말이 심했어

루세트——……

——…이상이
작전 개요다

'별가루 작전'은
가토 소령의
지상 임무 개시

호령과 함께
발동된다

TORRINGTON BASE

장소는 지상
오스트레일리아
—···

지구 연방군
토링턴 기지

오스트레일리아 방면군
'토링턴 기지'

뭐냐?
우라키 소위,
퍼졌나?!

MOBILE SUIT
GUNDAM
0083
REBELLION

기동전사 건담 0083 REBELLION ①

2016년 2월 29일 초판 1쇄 발행
2022년 8월 31일 초판 3쇄 발행

만화 나츠모토 마사토
원작 토미노 요시유키 · 야타테 하지메
협력 선라이즈

펴낸이 원종우
펴낸곳 길찾기
주소 (13814) 경기도 과천시 뒷골로 26, 2층
전화 02 6447 9000   팩스 02 6447 9009   메일 edit@bluepic.kr   웹 http://bluepic.kr

ISBN 978-89-6052-496-5 07830 (1권) 978-89-6052-495-8 (세트)
가격 8,000원

MOBILE SUIT GUNDAM 0083 REBELLION ①